★ I CAPOLAVORI ★

Disney

DUMBO

The WALT DISNEY Company Italia s.r.l.
• L I B R I •

È una bella notte di primavera e uno stormo
di cicogne sta volando nel cielo. Una volta
arrivate sopra il tendone del circo,
le cicogne lasciano cadere tanti fagottini
che lentamente si posano
a terra. Che cosa conterranno?

Ecco cosa: dei cuccioli! Infatti dalla stoffa spuntano
i simpatici musini di un orsetto, di un canguro e di
una giraffa. Che gioia per le mamme del circo!
Solo un'elefantessa, la signora Jumbo, è triste:
la sua cicogna non è ancora arrivata,
e domani lei dovrà partire con il circo!

Il mattino dopo, tutti si preparano alla partenza:
bisogna raggiungere una nuova città.
Gli inservienti portano gli animali sul trenino
del circo, mentre il macchinista controlla
la buffa locomotiva. Ma della cicogna
per la signora Jumbo, non c'è ancora
nessuna traccia.

Eccola! È seduta su una nuvola: è rimasta
indietro perché il suo fagotto è il più
pesante e si è fermata a controllare la cartina.
"Vediamo un po'…" dice pensierosa.
Poi vede da lontano il trenino del circo.
Proprio quello che stava cercando:
ora potrà consegnare il suo pacco.

La cicogna raggiunge il vagone degli elefanti
"Pacco per la signora Jumbo!" annuncia.
L'elefantessa è proprio felice: è arrivato
il suo cucciolo! Ha già scelto il nome,
lo chiamerà Dumbo. "Benvenuto, caro
Dumbo Jumbo…" canta la cicogna.

Quando la signora Jumbo apre il pacco, può finalmente conoscere il suo elefantino.
Il piccolo la guarda spalancando gli occhioni blu. "È adorabile!" esclamano subito le altre elefantesse. Ma, a un tratto: "Eeeeccì!"
Dumbo starnutisce e…

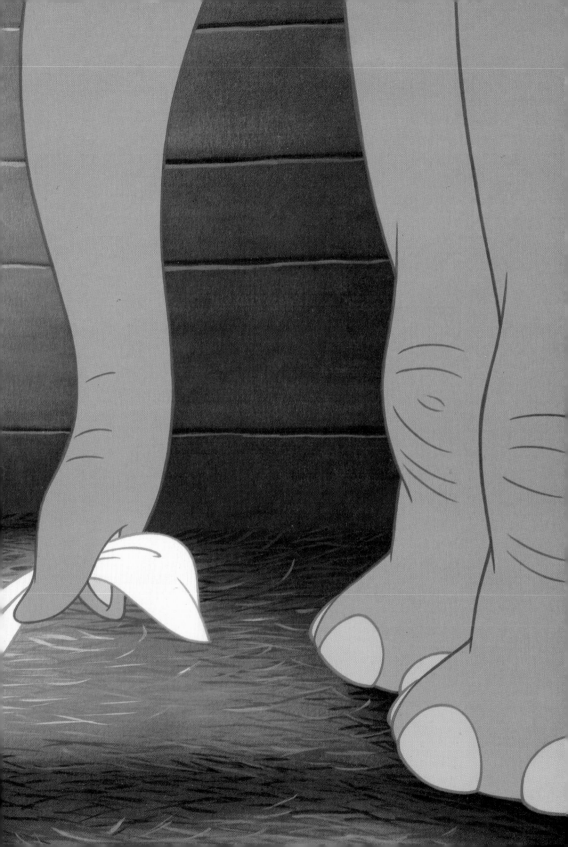

… le orecchie dell'elefantino si aprono.
Sono davvero enormi! "Come sono
buffe!" ride un'elefantessa, tirando
un orecchio del piccolo. Anche le altre
prendono in giro Dumbo, ma mamma Jumbo
interviene: nessuno deve ridere del suo cucciolo.

E mentre il treno continua la corsa,
mamma Jumbo avvolge il suo
piccolo con la proboscide
in un tenero e dolcissimo abbraccio.

Quando il viaggio finisce, tutti gli uomini
e gli animali del circo, con i loro coloratissimi
costumi, sfilano per le strade della nuova città.
La banda suona allegre canzoni, mentre
il direttore, sul suo bellissimo cavallo bianco,
invita tutti ad assistere allo spettacolo.

Dumbo partecipa alla parata marciando
attaccato alla coda della mamma.
Per lui è tutto nuovo ed eccitante,
e si guarda attorno incuriosito.
Ma così non vede dove cammina,
inciampa nelle sue grandi orecchie
e finisce in una pozzanghera.

Dopo la parata, il direttore del circo invita
il pubblico a vedere gli animali. Alcuni
bambini si avvicinano a Dumbo
e lo prendono in giro. "Avete mai visto
nulla di più buffo?" esclama uno dei monelli,
soffiando in un orecchio dell'elefantino
come se fosse la vela di una barca.
Per mamma Jumbo questo è davvero troppo!

Infuriata, l'elefantessa afferra
il monello e lo sculaccia
con la proboscide. "Aiuto! Aiuto!"
grida il bambino, mentre la folla
fugge spaventata. "Che succede qui?"
interviene il direttore del circo.
Ma nemmeno lui riesce a calmare la signora
Jumbo che, decisa a proteggere il suo cucciolo,
solleva minacciosa una balla di fieno.

L'elefantessa non si era mai comportata così! Ora
fa davvero paura e tutti, nel circo, pensano
che sia impazzita. Gli inservienti cercano
di immobilizzarla, ma la signora Jumbo
è troppo forte per loro. "Delle catene!
Legatele la proboscide!" ordina allora
il direttore. "Mettetela in gabbia!"

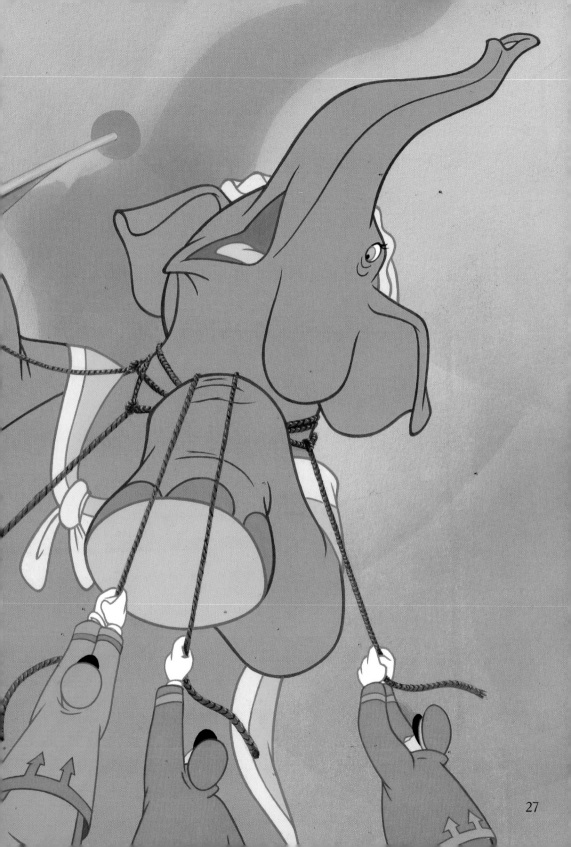

La signora Jumbo viene
rinchiusa in un vagone
con robuste sbarre
di ferro alla finestra.
Pesanti catene le bloccano
le zampe e quasi non riesce
a muoversi. Ma ciò che
la rende più triste è non
sapere che cosa accadrà
al suo cucciolo, ora che
è rimasto tutto solo.

Anche il piccolo Dumbo è triste. Accucciato
in un angolo del tendone ascolta le altre
elefantesse che commentano fra loro
quello che è successo. "È tutta colpa
di quel piccolo mostriciattolo!" dicono,
voltando le spalle all'elefantino.

Ma qualcuno ha assistito a tutta la scena: è Timoteo, un buffo topolino vestito da domatore. "Povero piccino! Eccolo là, senza un amico al mondo…" esclama il topolino. Ci penserà lui ad aiutare il cucciolo di elefante!

Intanto Dumbo si è nascosto sotto una balla
di fieno: è troppo triste e spaventato per lasciare
il suo rifugio. Così, per convincerlo a uscire
di lì, Timoteo gli dice: "Peccato che non
ti fidi di me, perché pensavo che tu e io
potremmo anche liberare la tua mamma!"
Il topolino ha già in mente un piano…

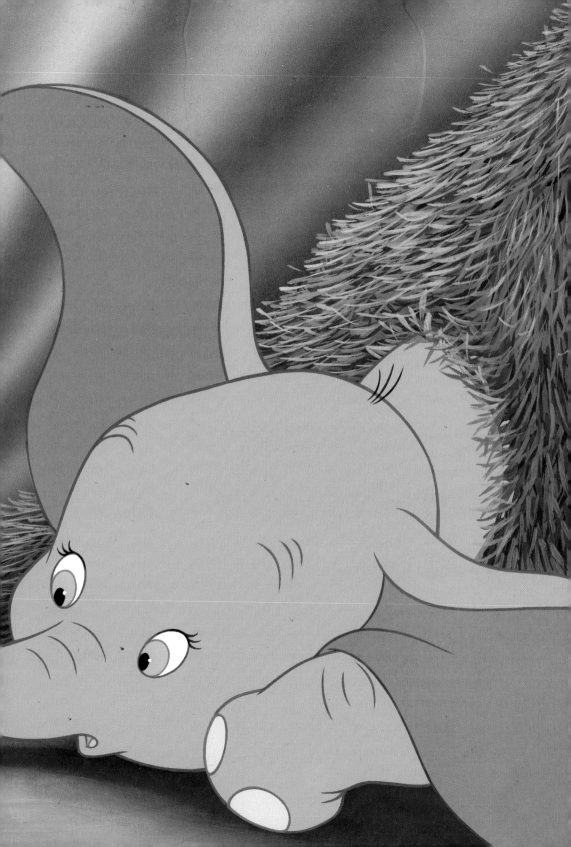

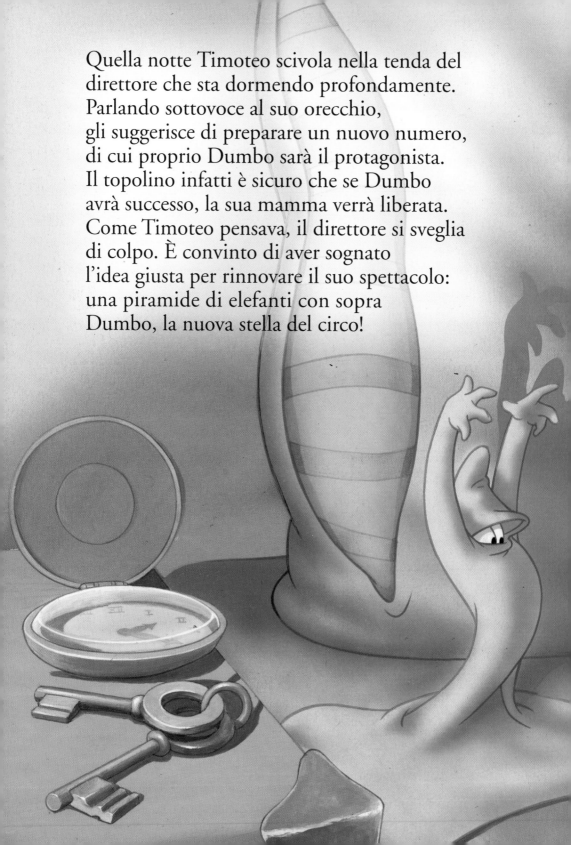

Quella notte Timoteo scivola nella tenda del
direttore che sta dormendo profondamente.
Parlando sottovoce al suo orecchio,
gli suggerisce di preparare un nuovo numero,
di cui proprio Dumbo sarà il protagonista.
Il topolino infatti è sicuro che se Dumbo
avrà successo, la sua mamma verrà liberata.
Come Timoteo pensava, il direttore si sveglia
di colpo. È convinto di aver sognato
l'idea giusta per rinnovare il suo spettacolo:
una piramide di elefanti con sopra
Dumbo, la nuova stella del circo!

Così, quella sera il direttore annuncia al pubblico: "Su questa minuscola, insignificante pallina, noi costruiremo per voi una piramide di formidabili, mastodontici… pachidermi!" Il pubblico applaude pieno di entusiasmo.

Le elefantesse salgono una sull'altra tenendosi faticosamente in equilibrio. "E ora," continua il direttore, "il più piccolo elefante del mondo salterà da una pedana fino al vertice della piramide. Signore e signori, vi presento… Dumbo!" Vedendo l'elefantino, il pubblico scoppia a ridere: per non farlo inciampare, Timoteo gli ha legato le orecchie sopra la testa e Dumbo è proprio buffo! L'elefantino ha paura, ma il topolino lo convince a partire con un piccolo trucco!

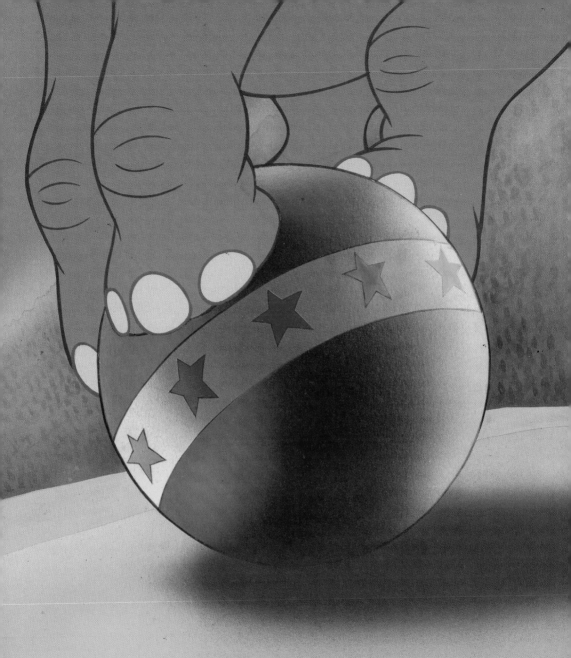

Una bella rincorsa e… oop, Dumbo
si lancia. All'ultimo momento, però,
le orecchie si slegano e, come il topolino
temeva, l'elefantino inciampa,
vola sulla pista del circo e…

…va a colpire proprio la palla
che regge le elefantesse.
La pesante piramide ondeggia
pericolosamente; le elefantesse
cercano di mantenere l'equilibrio,
ma la più anziana, che sta sulla palla,
non riesce più a sostenere
il peso di tutte le altre.

Alla fine la piramide crolla. Le elefantesse
precipitano, rischiando di travolgere
il pubblico che fugge terrorizzato
verso le uscite. Il direttore è molto
preoccupato: una delle elefantesse
ha colpito proprio uno dei pali
che reggono il tendone e lo ha rotto!

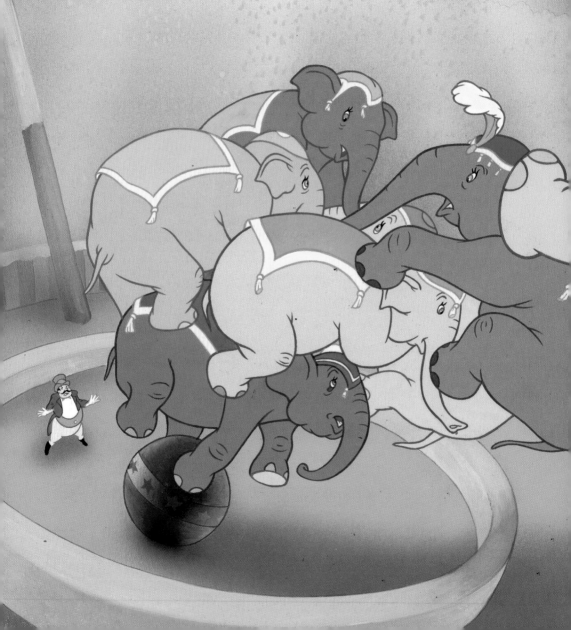

Mentre la folla degli spettatori corre fuori del circo, il tendone crolla. È tutto distrutto. Che guaio per il direttore! Per fortuna, nessuno si è fatto male.

Il tendone del circo viene ricostruito e la sera dopo
ricomincia lo spettacolo. Ma ora Dumbo
è stato retrocesso a… clown! Che umiliazione
per un elefante! Affacciato a una finestra di una
finta casa in fiamme, ha una buffa cuffietta da
neonato e deve essere salvato da un gruppo
di pagliacci in divisa da pompiere.

I pagliacci corrono intorno alla pista,
si arrampicano su una ridicola
scaletta, raggiungono l'elefantino
e... splash! Gli gettano in faccia un secchio
d'acqua. E non è finita... povero Dumbo!

L'elefantino ora deve lanciarsi dalla finestra
e atterrare su un telone tenuto
dai clown. Ma sotto il suo peso il telone
si strappa e Dumbo finisce in una tinozza.
Quando riemerge è coperto di panna
montata. Il pubblico ride e applaude.
Lui, invece, prova tanta vergogna.

Dopo lo spettacolo,
Timoteo aiuta
il suo amico a ripulirsi
e cerca di consolarlo. Ma i suoi
sforzi sono inutili. A un tratto
ha un'idea. "Ah, dimenticavo di dirtelo.
Sai, dobbiamo andare a trovare
la tua mamma!" Finalmente
Dumbo ritrova il sorriso!

Dumbo e Timoteo raggiungono il vagone
dove è rinchiusa la signora Jumbo.
L'elefantessa spinge la proboscide oltre
le sbarre e accarezza dolcemente
l'elefantino. Poi lo culla e gli canta una ninna
nanna. Avvolto dal tenero abbraccio della
mamma, Dumbo è finalmente felice.

Lo spettacolo dei clown è stato un trionfo:
bisogna brindare con dell'ottimo champagne!
Ma, nella confusione, uno dei pagliacci inciampa
nel tavolino e la bottiglia cade in una tinozza.
Così lo champagne si mescola all'acqua.

Intanto Dumbo ha dovuto lasciare la sua mamma
e ora è di nuovo triste! "Cosa penserebbe
la signora Jumbo, se ti vedesse piangere così?"
gli dice Timoteo. E aggiunge: "Ti viene solo
il singhiozzo!" Così, per farglielo passare,
il topolino accompagna Dumbo alla tinozza
d'acqua e lo fa bere. Ma all'elefantino
il singhiozzo aumenta. E il suo sguardo diventa
strano! Insospettito, Timoteo si avvicina alla
tinozza e ci cade dentro. Anche lui adesso si
comporta stranamente. Come Dumbo, infatti,
ha bevuto lo champagne mescolato all'acqua!

I due amici cominciano ad avere strane visioni:
buffi elefanti colorati, formati da bollicine,
cantano e ballano intorno a loro. Dumbo
e Timoteo si sentono molto leggeri...

Anzi, leggerissimi, tanto che, la mattina dopo,
si ritrovano sul ramo di un albero! Un gruppo
di corvi li osserva con grande curiosità: che cosa
ci fanno, addormentati lassù, un elefante
e un topo? E come ci saranno arrivati?
Il capo dei corvi, un buffo tipo con tanto
di sigaro e bombetta, è deciso a scoprirlo.

Il corvo soffia il fumo in faccia al topolino
e lo sveglia. "Quegli elefanti rosa..."
mormora Timoteo ancora mezzo addormentato.
A questa frase, i corvi scoppiano
in una fragorosa risata. "Che c'è da ridere?
E che ci fate, voi uccelli, quaggiù?" chiede
stupito il topolino. "Be', raccontami pure
che né tu né un elefante state sopra
un albero!" ridacchia il capo dei corvi.

Timoteo si guarda intorno: lui e l'elefantino
sono davvero su una pianta! Cercando
di non allarmarlo, il topolino sveglia Dumbo
e lo invita a non guardare giù. Ma l'elefantino
dà un'occhiata in basso e, per la paura,
precipita dal ramo su cui si era addormentato.

Cadendo, l'elefantino spezza
i rami dell'albero e i due amici
si ritrovano nel bel mezzo di uno stagno.
Che spavento! Per fortuna non si sono
fatti nulla, ma se quei corvi
la smettessero di sghignazzare...

Mentre tornano verso il circo, Timoteo
riflette a voce alta: "Vorrei sapere come
siamo arrivati sopra quel ramo!"
"Forse ci siete volati?" risponde
uno dei corvi per fare lo spiritoso.
"Ehi, può darsi!" esclama Timoteo.
Finalmente ha capito che cosa
è successo: grazie alle sue grandi
orecchie, Dumbo può volare! Fantastico:
diventerà la nuova stella del circo!

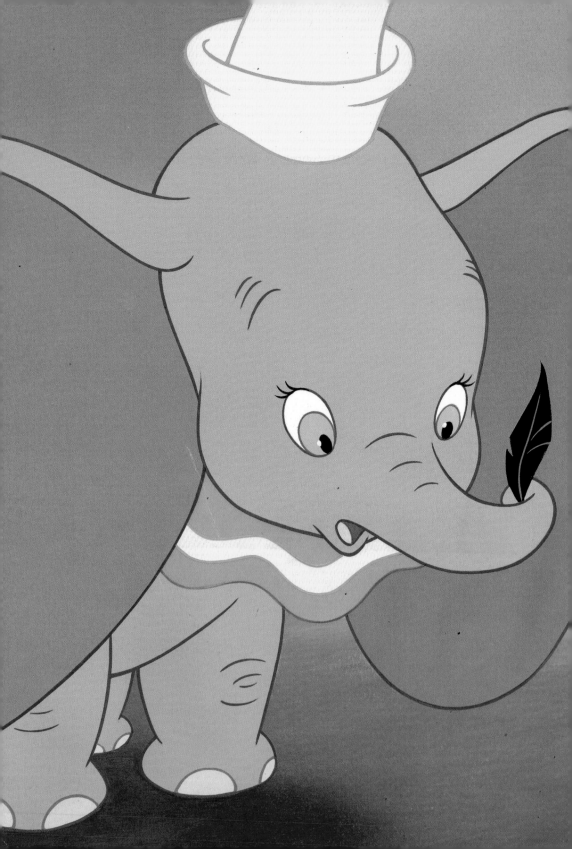

Ma Dumbo non è per niente convinto. Il capo dei corvi, allora, decide di aiutarlo. Strappa una piuma dalla coda di un altro corvo e la consegna a Dumbo dicendogli che ha straordinari poteri. "Ecco la piuma magica! Ora potrai volare!" dice Timoteo per incoraggiare l'elefantino ad avere fiducia in se stesso.

Un attimo dopo sono tutti in cima a una
roccia per aiutare l'elefantino a volare,
ma Dumbo ha tanta paura
e Timoteo non riesce a convincerlo.
Meno male che ci sono i corvi a dargli
una spintarella! Con la piuma magica
stretta nella proboscide l'elefantino batte
le orecchie e... "Guarda, Dumbo, stiamo
volando!" urla il topolino pieno di gioia.

Ma i più stupiti sono forse i corvi:
"Vola proprio come un'aquila!"
dice uno. "Meglio di un aeroplano!"
commenta un altro. Timoteo e Dumbo
si stanno divertendo un mondo; ora potranno
fare un numero straordinario al circo!

Infatti, eccoli impegnati nello
spettacolo dei clown
pompieri. Sulla cima di un
altissimo palazzo finto, Dumbo,
con la piuma magica stretta
nella proboscide, si prepara
a volare sotto gli occhi
stupiti del pubblico: questa volta
nessuno riderà di lui! Mentre
rullano i tamburi, Timoteo
gli grida: "Contatto! Decolla!"
E Dumbo, fiducioso,
si lancia nel vuoto.

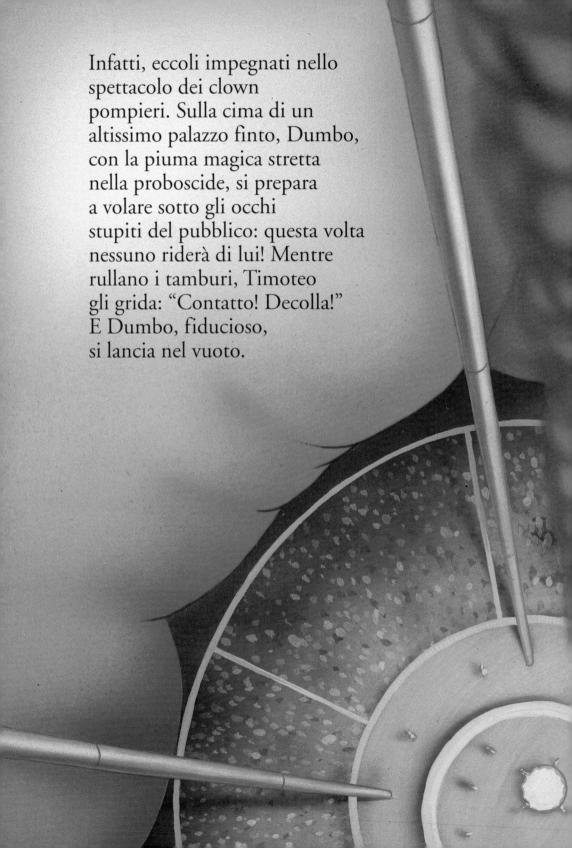

Ma la piuma gli scivola via e l'elefantino,
convinto di non poter più volare,
precipita terrorizzato. La terra si avvicina
rapidamente. Anche il topolino,
aggrappato al cappello dell'amico,
ha paura: bisogna fare subito qualcosa!

Timoteo si lascia scivolare sulla
proboscide dell'elefantino
e gli grida: "Dumbo, avanti, vola!
Apri quelle orecchie! La piuma
magica era un pretesto...
puoi davvero volare! Fai
presto... allarga le orecchie!"

E proprio un attimo prima di toccare terra,
nel silenzio generale del pubblico emozionato,
all'improvviso ecco che Dumbo batte
le grandi orecchie e riesce a volare! Sì! Agile
e leggero come una farfalla, vola sopra
il pubblico che ora applaude entusiasta.

"Evviva, evviva! Bene così… Giù, in picchiata!
Adesso, giro della morte!" grida Timoteo,
mentre l'elefantino volteggia felice. E ora…
una piccola rivincita sulle elefantesse!
Dumbo aspira con la proboscide un bel po'
di noccioline e poi le soffia forte contro
di loro. Così imparano a prenderlo in giro!

Il giorno dopo, tutti i giornali pubblicano la foto
di Dumbo, lo straordinario elefantino volante.
E c'è anche un ritratto di Timoteo,
che ora è diventato il suo impresario.

Ma la gioia più grande, per Dumbo,
è quella di poter riabbracciare la sua
mamma. E così, mentre il trenino
viaggia verso una nuova città, la signora
Jumbo, comodamente seduta in un
vagone privato, saluta il suo cucciolo
che vola insieme agli amici corvi.

E quando scende la sera
Dumbo vola dalla sua mamma
che lo abbraccia e lo coccola.
Nessun elefante
è mai stato così felice!

Dumbo
© 1998, 2001 Disney
Testo italiano di Raffaella Ceragioli
Editing di Epierre, Milano
The Walt Disney Company Italia s.r.l.
Via Ferrante Aporti, 6/8 - 20125 Milano
Stampato da Rotolito Lombarda - Pioltello, Milano